꽃들이 바라는 것 [개정판]

우정용 지음

꽃들이 바라는 것 [개정판]
발 행 | 2023년 11월 23일
저 자 | 우정용 지음
펴낸이 | 한건희
펴낸곳 | 주식회사 부크크
출판사등록 | 2014.07.15.(제2014-16호)
주 소 | 서울특별시 금천구 가산디지털1로 119 SK트윈타워 A동 305호
전 화 | 1670-8316
이메일 | info@bookk.co.kr
ISBN | 979-11-410-5470-0
www.bookk.co.kr

꽃들이 바라는 것

[개정판]

우정용 지음

自 序

이 졸작이 세상에 나가도 어쩌면 한 사람의 독자도 만날 수 없을지 모른다는 의구심이 들어 출간을 수없이 망설였다.

그러나 이 글이 진심 속에서 태어났다면 나 자신만은 이 글과 당당히 마주해야 한다고 생각하여 생의 한가운데서 영욕이 교차했던 순간들의 한 조각을 활자로 남기기로 하였다

우선 이 글을 읽어줄 독자에게 부탁하고픈 말이 있다. 그것은 이 글 속에서 무슨 독창적이고 문학적인 격식과 깊이를 찾으려는 시도는 유의미한 내용이 별로 없다고 생각하고 있기에 유익함이 없다고 본다. 나는 글을 쓰는 내내 스스로 '학문적인 바탕 없음'과 그에 따른 '무지함'에 대하여 탄식하곤 했다. 하지만 시의 형식을 빌려 쓰지 않으면 견딜 수 없었던 본인의 심중을 가늠해 달라는 호소를 드린다. 비겁한 변명일 뿐이라고 비난해도 겸허히 수용하겠다. 사실이기 때문이다.

삶 속에서 그 진지함에 마음 아픈 이들에게 이글을 바친다.

2022 春分　봄내에서

✦ 차 례 ✦

2부. 여름의 열정

3부. 가을의 고독

4부. 겨울의 순수

5부. 사람의 삶

1부. 봄의 노래

꽃잔디

산천 정경을 보면
사진을 찍어 보고 싶고

명작 미술품을 보면
전시하여 보고 싶고

노을빛 하늘을 보면
마음이 숙연해지지만

너를 보면
난 시를 쓰는 꿈을 꿔

흰선씀바귀 꽃

얼핏 보아 널 칭찬 할 구석이 없다
온갖 현란한 색으로 치장한 장미만 못하고
백합처럼 진하고 달콤한 향기도 없으며
목련처럼 크고 화려하지 않지만
내 눈에 넌 참으로 대견스럽다
잡풀 속에서 오롯이 솟아난 도도함
앙증맞게 꽃피운 정갈한 자태
넘치거나 천박하지 않은 미려한 꽃 빛깔
천연의 순수함을 간직한 풋풋한 꽃 향기
넌 참 단아한 숙녀를 닮았다

개화

까치발 딛고 서서 건너다본다
수채화 붉은 물감 풀어지는 저녁노을
잔잔히 흐르는 붉은 강물 위로
물고기처럼 파닥거리는 너의 영상

삭막한 벌판을 잰걸음으로 달려와
함박웃음 지으며 앙증스런 양팔 벌려
시린 가슴 꼬옥 안아주기를
그간 얼마나 고대했는지 너는 모른다

의식이 가물거리는 한밤중에도
여명이 미명을 지우는 새벽에도
생생히 추억들은 살아 일어나고
만날 수 없는 숙명으로 너를 찾지만
그리움은 퇴색하지 않더라

무한한 기다림은 부질없기에
잊은 크기만큼은 체념하고 지냈는데
언제 다가온거니 기색도 없이
올봄에도 작은 가슴 연분홍 꽃봉오리
진즉부터 활짝 터뜨렸구나
내가 모르는 사이에

가지치기

오가는 쉼터공원 안마당에서
솔가지들이 속절없이 잘려지고 있다
저 소나무 이젠 속이 다 횅해 보인다

내가 살면서 내 거친 가지의 자람이
어지럽고 미숙하기 그지없기에
전지되는 그 순간이 너무나 아프고 힘들어
내 인생길은 험한 산정 오르막길뿐 이라고
내 생을 원망하며 애통하지 않았던가
하지만 인생길이 내리막길만 있다면
그 길은 결국 영원히 추락만하는 길이며
또한 마냥 오르막길만 있다면
그 수고 역시 끝없는 고통과 허망함일 뿐
인생길 오르내림은 얼마나 다행스러운가

내가 가지만 무성한 과실수일 때
내가 열매 맺도록 아프게 가지치기해 준
그 아픈 손길이 타인만은 아닐거라고
그리고 아직 내게 남은 허망한 가지를
어떻게 가지쳐야 하는지 곰곰이 되새겨 본다

냉이꽃 사랑

내가 너를
곱다고 정말 미려한 꽃이라고
기꺼이 이름 부르는 것은
네 얼굴이 예뻐서만은 아니야
꽃들은 다 나름 예쁜 구석이 있거든
네가 진정 사랑스런 이유는
네 가녀린 몸뚱이에서
마른 가지마다 뿜어낸 하❤트
나의 모든 것을 네게 주겠다는
생명보다 진한 사랑의 언약을
봄 햇살 숙진 찬 들판 속에서
앙증맞은 손으로 꽉 움켜쥐고
굳건히 지켜내고 있어서야

벚꽃 연가

화각장 깊은 곳에 고이 접어
한해를 갈무리한 치마 저고리
설레는 미소로 곱게 차려입고
연지곤지 단장한 수줍은 당신

시냇가 입구에 서서
소 몰고 떠난 님 기다리다 지쳤나요
하늘하늘 한잎 두잎 애달픈 꽃잎으로
그대는 눈물을 떨구는구려
이별이 너무 길었어요

춘분지나 꽃샘추위 물러가니
눈물로 재회하는 견우직녀가 되었나요
봄비 따라 무지개 타고
금방 떠나야 할 만남이지만
드디어 그대가 오셨군요

아기천사가 되셨네요
연분홍 작은 꽃잎날개를 달고
볼가에 발그레 홍조가 짙어졌어요
나풀나풀 연분홍 치맛자락
곱디 곱게 휘날리며
봄바람 그네를 잘도 타는 그대는
벚꽃입니다

4월에 내리는 눈비

4월은 겨울보다 따뜻하지만
진달래 민들레 개나리
꽃들아!

정성스레 예쁜 꽃봉오리 피우려면
차가운 눈비도 필요한 거야
사랑니가 잇몸을 뚫고 나올 때처럼
얇은 피부를 파고드는 한기가 아플 거야
어찌 아프지 않겠니

먼 성지를 오체투지하며 찾아가는 순례자처럼
새벽 미명에 곤한 잠에서 깨어나
차가운 비바람 속을 당당하게 헤쳐가야 하는 거야

차라리 죽는 게 더 쉽다고 느낄 만큼 힘들 거야
인고의 길을 숙명처럼 이어간 순례길 끝에서
너의 화려한 추억은 꽃으로 피어나고
드디어 사랑이 다시 찾아올 거야

벚꽃을 사랑하는 간격

벚꽃은 적정 간격을 두고 보아야 더 아름답다
연분홍 꽃잎 정겨운 미모에 이끌려 다가갈수록
긴 세월 꽃피우다 말라버린
거친 가지와 상흔만 뚜렷이 보이게 된다
벚꽃은 하늘이 점지한 연인처럼
숙명적으로 서로를 떼어 놓을 수 없는가 보다
서로 기대어 피어날 때 용모가 빛나고
나 혼자 잘나지 않을 때 어울림이 화사하다

벚꽃 사랑이 그렇다
다가감이 집착에 빠져 부담이 되어
난 너의 화용을 잃고
넌 나의 연정을 잃는다
진정 벚꽃을 사랑하거든
사랑함에 알맞은 간격을
우선 찾아야 할 것이다

벚꽃이 지고 있다

잔인한 봄날에는
벚꽃이 강 물결 따라 무심히 흐르고
흐려진 의식이 흩어진다
처연한 꽃잎

비바람에 분분한 꽃잎 날리다가
비에 젖어 찢긴 상처
흐르는 진홍빛 빗물이 옅어지고 있다
창백한 꽃잎

순간의 연민도 없이 총총히
미려한 개화의 기억 마저 외면하고
바람꽃 가마에 몸을 싣고 있다
숙연한 꽃잎

가는 이의 심정을 누가 알리
한마디 말도 없이 떠나는 그대를
미련 없이 손 흔들어 배웅한다
잘 가라 벚꽃

할미꽃

오랜
기다림에
너무 지쳐서
이젠
허리를 숙이고 있지만
마음은 진정 아니야
그 속에 그리움은
봄 햇살 보다
애틋하니까

어느 봄날 소양강가에서

오늘따라 네가
참 곰살갑지 않다
세상 사는 게 무어냐고
정말 짓궂은 질문을 하는구나
이 세상에 나고 싶어 태어난 이가 있더냐
산다는 것 그것만도 버겁거늘
의미를 따짐은 왠 말이냐
봄바람에 점점이 날리는 서러운 벚꽃
미지의 곳으로 데려가는 너는 어찜이냐
대답 없이 무심히 흐르는 매정한 이여
그래 그렇게 실실거리며 숙맥같이 사는 거야
무언가를 아는 척 은근한 미소를 지으면서
삶이 댓가로 주는 잔잔한 기쁨을 노래하는 거야
봄날 강가에서 눈송이처럼 휘날리는 벚꽃잎과
강물 위를 흐르는 이별이 아름답지 않은가
그대와 함께하는 눈물겨운 봄날이다

덩굴장미꽃

긴 고통을 인내하고
사랑의 결실을 맺는 일은
꽃처럼 아름다운 일이지만
너의 꿈꾸는 사랑은
진정 힘겹고 서럽기만 하다

거친 담장을 부둥켜안고
아무도 알아주지 않는
미련한 믿음을 지키며
홀로 사랑하는 일

겨우내 덩굴장미는
죽을 만치 외롭지만
성숙한 봄이 오면 꽃물결
보라 저 불타는 열정을
사랑을 가슴으로 소망한
오월의 덩굴장미꽃이여

꽃들이 바라는 것

사람들은 꽃들을
진정 사랑한다고 생각하지만
실은 자신들의 사랑 표현에 꽃들을 이용하고
잠시 시들어질 위로를 받는 거야
꽃들은 사람에게서 사랑받기를 원치 않거든

사람들은 꽃들을
예쁜 꽃, 향기로운 꽃, 추한 꽃
마음대로 평가하고 차별 대우를 하지
심지어 꽃들을 무자비하게 꺾어서 전시하고
이기적으로 무슨 대단한 의미를 부여하며
억지 꽃말을 붙이기도 해

그러나 진정 꽃들이 바라는 것은
열매 맺게 하는 벌 나비 같은 미물과
씨앗을 퍼뜨려줄 작은 새와 한줄기 미풍이야
꽃들은 네가 꽃이 되기를 바라고 있어
그러니까 너도 꽃이 되고 싶다면
꽃들의 심정을 숙고해야 하는 거야

화산을 만나다

그대는 백옥 같은 속살에 흰 비단을 둘렀습니다
하얀 비단을 살포시 걸치고 밤새 이슬로 젖은 그대
온몸에 아침햇살을 받아 선녀처럼 빛나니
그대는 스스로 <조양(朝陽)>이 되었습니다

천하는 그대를 오악(五岳)중 하나라고 하지만
그대는 온 세상 편만한 산악들의 꽃 중의 꽃
그대를 역대 미녀들이 사랑한 화청지(華淸池)에 곱게 핀
<연화(蓮花)>라고 부르겠습니다

아름다운 이를 일러 '경국지색'이라 한다지요
얼마나 아름다우면 나라가 흔들렸을까요
그대 용모를 일견한 모든 이의 가슴을 흔드니
그대는 하늘에서 온 경국지색 <옥녀(玉女)>가 분명합니다

세상은 왕소군(王昭君)을 일컬어 낙안(落雁)이라 칭하지만
그대는 천길 단애 남쪽 하늘을 날던 기러기를
그대의 미모로 혼미케 만드는 절경의 소유자
그대야 말로 진정한 <낙안(落雁)> 입니다

열국의 제왕이 나라를 제물로 미녀를 얻었다지요
양귀비(楊貴妃)를 사랑한 황제가 장한(長恨)에 침잠하듯
그대를 향한 한없는 그리움이 <운대(雲臺)>를 휘돕니다

미모사 1

네가 나를 선택한 건 아니었지
네가 '**그린떼떼**' 예쁜 화원 카페 앞에
길 잃은 새끼고양이처럼 웅크리고 앉아
겁먹은 눈으로 멍하니 나를 바라볼 때
난 숙명처럼 너를 한눈에 알아보았지
네가 내 꿈과 사랑이 될 거란 걸
인연은 그렇게 찾아오는 건가 봐

내가 분 갈고 물주고 돌보려고
너를 살짝 건드리기만 해도
넌 온몸으로 나를 거부하고 움츠러들지
심지어 나를 가시로 찌르기도 했어
난 그 일을 생각하면 정말 섭섭해
하지만 어찌 너를 미워할 수 있겠니
넌 타고난 까칠쟁이 수줍쟁이 인걸
더구나 내가 널 택한 거니까
그렇지 않으면 네가 너일 수는 없는 거겠지
그렇게 너의 깊은 고독을 이해하고
그렇게 사랑할게
언젠가 네가 나의 손길을 기다리며
보랏빛 앙증맞은 예쁜 꽃을
봉긋봉긋 피워줄 때까지

봄 바다가 전하는 말

바다는
곧잘 화를 내기도 하지만
가슴이 시린 이에게
가까이 가면 들리는
따뜻한 이야기를
오순도순 속삭여 주고
때론 침묵도 하지만
가슴이 허전한 이에겐
위로와 격려로
빈 가슴을 채우기도 한다

바다로 가야겠다
지금 가슴이 미어지는 나에게
봄 바다는 무슨 말을 해줄런지
가서 들어봐야겠다

2부. 여름의 열정

미모사 2

너의 앙증맞은 잎사귀는
정말 예민도 하다
조금만 살짝 건드려도
비명을 한껏 질러대는구나
하지만 너의 숙근은
무더운 땅속에서 햇빛 한번 못 보고
너의 발랄한 생을 위해
숨죽여 평생을 살아야 한다는 걸
한 번만이라도 생각해 주렴

늦여름 소나기

잿빛 하늘이 올올이 풀어지고 있다
소나기는 촉이 날카로운 화살이 되어
한 시절 푸르던 나뭇잎을 두드리며
생의 갈변을 재촉하고 있다

비는 검은 구름을 끌어내려 지상을 짓누른다
풀은 휘감는 바람에 지쳐 몸을 눕히고
길가 백일홍마저 산발한 채 고개를 떨군다

어쩌랴 미덥던 하늘이 내려놓는걸
짐짓 심장이 모르는 척 할 수는 없지않은가
하늘을 움직일 수 없는 것도 숙명이니
비오는 미지의 들판을 진정 지나야 한다면
묵묵히 건너가야지
자취도 남기지 말아야겠다

장맛비 낙화

정해진 방향도 따로 없이
막막함이 낮게 휘젓는
오랜 가슴앓이가 쏟아지고 있다

부슬부슬 내리는 빗물 속에서
그리움이 안개처럼 부풀어 오르고
투욱 툭 꽃잎이 떨어지며 지른 비명
하얗게 질린 가슴이 핏빛으로 번지고 있다

탈출구 없는 미로에 갇힌
긴 세월 삭이는 아픔
열정으로 타오를 거라 기다리고 있다

주룩주룩 하염없이 내리는 빗물
그리움이 축축한 여름날에
가로수 소복 입은 꽃들이 숙지고 있다

올여름

올여름
정말 더워서
맑고 푸른 물속에
풍덩!
아무 미련 없이
뛰어들고 싶었다
그대라는 호수속에 …
머지않아 숙시 고운
가을이 오겠지

올 복날에

올여름 더위도
여전히 무덥고 정말 뜨겁더라
하지만
여름은 태양 빛이 뜨거워야 제격이지
여름이 겨울처럼 냉정하게 차갑고
봄, 가을처럼 미지근하다면
어찌 여름일 수 있을까?
사람의 사랑도 여름과 비슷할 거야
사랑이 복날처럼 뜨겁지 않다면
어찌 성숙한 사랑이라 말 할 수 있을까?
이제 내게 남은 여름은 말복뿐이다
복날처럼 뜨거운 마지막 사랑이다

달무리

달이 빚은 옥가락지
오로지 바라만 보아야 하는 간격
반드시 돌아오라는 기원
정녕코 돌아오겠다는 약속
견우직녀가 주고받은 미더운 신표

큐피드가 달을 쏘아 이룬 사랑
함부로 끊을 수 없는 숙명
그래서 찬란하게 빛나지만
서럽게 차가운 그리움
오늘 밤도 시나브로
달무리가 지고 있다

산딸나무 십자화

오랜 세월 염원이 꽃 피었다
여린 가지마다 내려앉은 천사
동서남북 편만한 빛나는 축복
영원히 사랑한다고 맹세한 정표

황량한 광야에 홀로 남은 외로움
온 힘을 다해 아무리 애를 써 봐도
아무 소용없는 절박한 세월

삶의 무게가 버거워 신음했지
이제는 너 혼자가 아니야
지금부터 내가 너를 지켜줄 거야

이 세상 가득 채울 넉넉한 사랑으로
과거와 미래를 관통하는 절대의 힘으로
영원히 나를 지킬 거라는 거룩한 숙명이
정갈하게 담긴 십자꽃
아름다운 사랑의 약속

비오는 날에

빗물이 흐르는 것은
추억이 흐르는 것이고
마음이 흐르는 것이다

정처 없이 흐르는 빗물을 따라
그 순간의 기억을 더듬어 가고
미숙했던 결정에 회한이 서리고
어설픈 사랑이 아련히 흐른다

빗물이 흐르는 것은
한 사람이 온 생애를 바쳐 써 내려간
영광과 오욕의 자사전을 낭송하는 것
이 순간 창가에 자작자작 내리는 빗물이
지난 지금을 한 글자도 틀리지 않고
또박또박 읽고 있다

산머루

산바람이 가을을 재촉하는 산기슭
풀숲에선 산머루 열매가 익어 간다

산 머루는 담쟁이와 같지 않다
미몽 속 동료를 이용하여
넓은 영역과 영달을 다 차지하고도
쓴 열매만 내어주는 담쟁이가 아니다

알알이 햇빛에 빛나는 흑진주
재잘거리다 지친 산새가 요기하도록
새콤달콤 숙성해 가는 향기로운 열매
가을바람 부는 산기슭 오솔길 옆 산머루
네가 진정한 초가을 미인이다

곰배령에 사는 나무

곰배령 깊은 계곡에는
푸른 생명들로 넘쳐나고
나무도 사람처럼 모여 산다

껍질 곱고 줄기 곧은 나무
잎이 무성하여 풍성한 나무
겨울에도 늘 푸른 나무
이리저리 멋대로 굽은 나무
썩어 문드러진 나무
잎이 바늘같이 날카로운 나무..
정말 여러 나무들이 함께 살아간다

곰배령에 사는 나무들은
나무가 아닌 사람이다
나는 그중에 어느 나무쯤일까
미끈하고 곧은 멋진 나무는 고사하고
문드러진 등걸로 사는 것이 숙명일지라도
곁의 가슴을 밀어뜨리는 나무가 아니라
다른 나무의 등을 받쳐주며 함께 살아가는
한 그루 평범한 나무라면 좋겠다

징검다리

여울물 정겹게 흐르는 공지천에서
지난 세월 이어준 징검다리를 만났다

개울을 가로질러 울퉁불퉁 놓인 돌덩이
장날 사다 주신 새 신발을 벗어들고
미덥지 못한 정수리를 콕콕 눌러가며
한발 한발 뒤뚱대며 건너던 징검다리

그땐 몰랐다
물속에 박힌 돌덩이가
고통을 숙명으로 여겼듯이
이제는 내가 차가운 물속에서
누군가의 디딤돌이 되어야 한다는 것을
장마에 물이 불어 흙물이 키를 넘어도
끝내 참아 내야 한다는 것을

왜가리

시냇가에 왜가리 한 마리
흐르는 여울 물속을 바라보며
자세를 정지한 채 무언가를 숙고하고 있다

무슨 생각을 저리도 깊이 하는 걸까
나도 눈을 떼지 않고 노려보고 있다가
난 결국 지루해져 한눈을 팔고 말았다

왜가리에게 물었다
미물이 그리 깊은 경지에 닿을 수 있냐고
왜가리가 대답했다
“너도 배곯아 봐라”

옥수수의 추억

조개는 진주를 품어내고
나무는 수지로 호박을 만들지만
대지는 옥수수 생명 알을 낳는다

줄기에서 오직 한두 자루 열리는 귀한 몸
정갈한 황금알은 미인의 단순호치
가지런한 줄서기는 그 뜻이 사무사(思毋邪)하고
마지막 수숫대까지 다 내어주는 성인의 모습

한여름 외갓집 할머니 옥수수 삶아 주시면
온 가족 대청마루 오순도순 모여 앉아
대낮 더위가 숙지고 앞마당 쑥불이 사윌 때까지
하모니카 즐겁게 불던 여름날의 합주

하늘 목장

긴 장마가 숙진 하늘은
양 떼 노니는 푸른 초원이다

푸르른 잔디 위에서
천진하게 뛰놀던 양 한 마리
슬금슬금 다가와 곁을 내어준다

이미 오래전에 나를 떠난
정든 친구들을 다시 불러 모아
하늘 빛깔 고운 풀밭에 누워
낮잠을 자고 싶다

소나무 아래 풀꽃 이름

솔향기 감도는
공지천 물가를 거닐 때
난초 닮은 풀포기 하나

이름이 뭐더라?
마...?
매...?

정겨운 보랏빛 꽃대
늘 친숙했던 이름
난 그 이름을 잊었다

입 밖으로 금방 튀어 나올 듯
혀끝에 감돌 뿐
도무지 생각나질 않아서
그냥 가슴에 묻어 둔다

마음이 가는 길

사람의 마음은 물과 바람 같아요
각진 곳에서 정각이 되고
둥근 그릇 속에서 원이 되죠

내 마음도 자유롭게 흐르는 물이 되어
낮은 곳 깊은 곳 그대 가슴까지 흘러
숙져가는 늦여름 그대 꽃잎에 생기를 주고
미풍으로 꽃봉오리 같은 그대를 어루만져
정갈한 국화꽃 한 송이 피울 수 있도록
이 가을엔 마법 같은 바람이고 싶어요

마음이 물이고 바람이니
나도 어쩔 수 없잖아요
빛나는 그대여...
나로 흐르고 싶은 대로 흐르고
가고 싶은 대로 가라 하세요

3부. 가을의 고독

경포의 낙엽

바람결에 낙엽이 땅바닥을 구릅니다
참 가볍고 허접한 마른 잎입니다
진한 양분이 흐르던 통통한 잎맥도
바삭하게 말라 무게도 윤기도 없습니다

분명 보잘것없는 마른 잎인데
색깔만은 고상합니다
차마 고상한 척 낡은 색감이 도는
마른 잎 낙엽을 보며
명치 한 가운데서 체증 일 듯
아련한 아픔이 이는 것은
길바닥에 말라붙은 벌레껍질 같은
초라한 자신을 드러내지 않으려는
잎사귀의 마지막 자존심을 간파한 탓입니다
낙엽은 한철 화려한 녹음의 계절에
영화로운 주인공이었기 때문입니다

억새 2

저 시린 하늘가
몸에 두른 하얀 비난 치마
싸늘한 초겨울 하늬바람에
팔랑팔랑 하염없이 날리고 서있다

노을 지는 호숫가
반짝이는 능소화빛 잔물결
정든 임 떠나가는 나룻배를
훠이훠이 손 흔들어 배웅하고 있다

허허로운 들 길가
바삭거리는 마른 몸뚱이
차마 떨치기 어려운 숙연을
서걱서걱 몸 비비며 벗겨 내고 있다

억새 3

청평 가는 열차 차창 밖으로
초가을 싸늘한 아침 정동 햇살을
머리카락 사이로 흘리는
억새가 서 있었다

꽃처럼 고운 미모도 없는데
희끗희끗 숙지는 육신 속에서
후광이 찬란하게 피어나고 있었다

하늘의 빛과 나 사이에서
어둠으로 마주 선 억새가
눈부신 영광을 얻은 이유

하늘의 햇살을 투과시킬 만큼
유리알같이 투명한
맑은 가슴을 소유했기 때문이겠지

코스모스꽃 피어날 때

올 늦가을도 어김없이 찬 바람 불더라
그때마다 속절없이 흔들리다 쓰러지는 너
네가 너무 안쓰러워 이젠 너와 정말 끝이라고
짐짓 미운 듯 눈을 흘기고 뒤돌아서서
곰곰이 이별을 숙고하지만
그런데 말이야 차마 냉정히 돌아설 수 없더라
사람이 가슴이 아릴 때는
매몰차게 떠날 수 없는 법이거든
그러니 이제는
그만 황량한 들판에서
여린 줄기 가을 찬바람에
어지러이 흔들리지 말고
답답하겠지만 차라리 내게 다가와
사랑하는 연인들의 어깨 마중처럼
조용히 기대는 게 낫겠어
할 수만 있다면 다정하게
두 손 모아 쥔 수줍은 몸짓으로
살그머니 내 가슴에 안기면 더 좋겠어
코스모스꽃 질 때는

가을의 빛깔

목이 가늘어지도록
애잔하게 정겹던 코스모스 지더니
어느새 빛바랜 노을이 길게 꼬리를 끈다

바람은 나뭇가지를 흔들어
홀로 남은 마른 잎새마저 떨구고
땅바닥 이리저리 뒹구는 마른 잎은
가슴에 묻어도 미련이 남는다

인고의 세월을 살아
숙져가는 청춘의 깊어진 빛깔
혹시 그것이 그대 그리다 얻어진
깊은 병색은 아닐까

아리게 볼을 스치는 늦가을 바람이
순백의 겨울새처럼 투명하고
아침 햇살에 반짝이는
그대 머릿결처럼 싱그럽다

가을의 빛깔은 분명
애절한 그리움이다

‘꽃피는 하루’의 꿈

낙엽이 곱게 치장한 어느 날 오후
하얀 찻잔을 앞에 두고
흐린 가을 하늘처럼
미몽을 꾸고 있다

따끈한 찻잔 속에서
커피향기 피어오르면
정갈한 심연 같은 눈동자 속에
낙엽 되어 떨어지는 나의 외로움

차향에서 신비한 꽃이 피어나는 듯
아련한 오수의 짧은 숙면 속에서
그대를 향한 허망한 꿈을 꾸고 있다

단풍의 속성

나는 불꽃
사막의 태양이 이글거리고
화산 용암이 솟구치듯
나의 짧은 생이 빛나고 있다
열정과 사랑이 인연이 되어
미쁜 사람을 만났을 때 그러하듯
여름이 가을을 만나는 경계에서
겨울을 만나 숙지는 나뭇가지 끝에서
냉정한 당신을 만났을 때
난 더욱 뜨거워진다

단풍을 기리는 당신에게

그대
정겨운 가을 미풍에도 숙덕거리다
얼굴이 빨개지도록 웃어대는 단풍잎처럼
마구 웃어본 적이 있나요

그대
이제는 낙엽이 되어 이별할 때
아이가 엄마 품에서 떨어질 때 그렇듯이
목 놓아 울어본 적이 있나요

그대
낙엽 쌓인 땅바닥에 누워
시리도록 푸른 하늘을 쳐다보는 단풍잎처럼
새콤달콤 예쁜 눈빛이 되어본 적이 있나요

단풍이 그대에게

난 지금 나의 마지막 길을
스스로 정성스레 준비하고 있어요
당신은 나를 예쁘게 볼지 모르지만
기실 난 긴긴 여름 뜨거운 열기와
늦가을 찬바람에 시달리다가
몸뚱이가 붉게 멍든 거랍니다
이윽고 내가 낙엽 되어 떨어지고
속절없이 차가운 땅바닥을 구를 때
나를 추하다 볼품없다 미워하지 마세요
한때 당신에게 푸르른 용기를 주고
성숙한 잎새로 시원한 그늘도 좋았잖아요
그렇게만 해준다면
당신이 나를 사랑하든 안하든
당신이 나를 기억하든 못하든
비장하게 티끌로 사라질 수 있을 것 같아요
그러면 그대여 안녕

낙엽의 노래

가을이 깊어져 단풍이 곱게 물들고 있다
나무는 한 해를 치열하게 살아왔다
한때 살랑거리는 봄바람 속에서
새싹을 틔우며 청춘을 구가했고
타는 태양 아래선 녹음으로 치열하게 살아왔다
이제 생을 마감하기 전 남은 생을
붉은색 노란색 갈색...
정해진 미려한 숙명의 빛깔로
나름 최선을 다해 작품을 완성하고 있다
인생도 나무 잎사귀의 생애를 닮았다
나무는 사람도 자연의 일부이기에 그렇겠지
이미 나도 주어진 두 계절의 생을 살았으니
인생의 겨울이 오기 전 남은 가을을
저 산 형형색색의 단풍처럼 곱게 장식해야 한다
그러면 사람이 나무의 마지막 낙엽의 모습을 노래하듯
나무가 나의 마지막 인생을 단풍이라 부를지 모른다

낙엽을 쓸다

조석으로 서늘한 바람이 분다
어느새 채색 고운 가을이다
한 일생이 숙성시킨 열매
온 열정이 만든 빛깔이 곱다

그러나 생은 만만치 않은 것
가을 햇살로 마지막 빛나던 낙엽도
길바닥에서 홀대받는 처지가 되면
부패 되고 추해지는 법

나는 가을이 되면
뒷모습이 끝까지 미려하도록
가슴에 구르는 흔적들을 쓸어 낸다
마음의 뒷걸음을 치면서
자취를 자꾸 비질을 한다

가을의 고독

가을에 고독한 것은
낙엽이 아니다
진정 외로운 것은
나 자신이다

세월 따라 언젠가
조금씩 소중한 것들을
잃어버린 후부터
가을오면 그러하다

진작 잃었으면서
언제 무엇을 잃었는지
미처 알지 못한 것에 대하여
언젠가 깨달음을 얻을 때까지
난 숙명적으로
매번 가을을 앓을 것이다

힘겨운 계절

세월이 정성스레 칼로 새긴
차가운 그리움
인고의 생을 물감으로
채색한 쓰라림
마음을 올올이 풀어헤치며
기원한 서러움

내 고통을 너는 모른다
내 슬픔도 너는 모른다
가을이 얼마나 잔인한지
너는 모른다

쌓인 사연이 겹겹이 깊어
미처 헤아릴 수 없는 숙명
힘겨운 계절이다

깊은 가을꽃

굳센 기운이 가지마다 넘치고
너를 앞서는 그 무엇도 용납못하는
줄기찬 열정으로 가득하더니
이제는 얼굴을 다 붉히는구나
네가 성숙했나 보다

나뭇가지 사이로 부는 선들바람에
자꾸 살랑살랑 몸을 비꼬고
발그레 볼 빨간 미소를 지으며
푸른 하늘에 교태를 부리는걸 보니
네가 이제야 사춘기를 맞았나 보다

가을이 깊어 바람이 썰렁썰렁
내 가슴이 붉게 물드는 걸 보니
깊어가는 가을꽃 한 아름 안고
환한 미소로 너를 맞고 싶은가 보다

나도 가을이다

형색이 정갈한 것
말리어 찌그러진 것
벌레 먹어 상처난 것
모두가 가을이다
은은한 갈색으로 수줍거나
붉은 비단 치장을 뽐내거나
심지어 검게 숙져 초라한 것도
모두가 단풍이다

할 일을 다 한 섭리가 아름답구나
손을 놓는 일이 미려하구나
내려놓은 마음이 고상하구나
나도 가을이구나

하늘에 별이 노닐다 - 유성(遊星)을 기리며

일월이 외면한 어둔 하늘에
찬란하게 빛나는 별 하나 보인다

태초에 정해진 숙원이 있어
내 어미의 땅 거친 광야를 위해
하늘을 향해 울부짖던 별

지성이면 감천이라 하늘의 큰 사랑으로
불모의 땅으로 임재한 별의 꿈
푸르고 푸른 계절로 변할 황무지 위로
성혈 묻은 씨앗들이 총총 쏟아져 내렸다

가을바람 청명한 9월29일 밤
하늘을 쳐다보며 별빛에 취해 본다
선명하게 하늘에서 노니는 별 하나
뚝 떨어져 가슴에 박힌다

설악산 계곡에

설악산에서는 바위가
계곡 물살에 몸을 씻고 있다

긴 세월을 살면서
생의 길이만큼이나
숙세의 때가 많이 끼었다고
이승에서 참회를 하는가 보다

수정같은 물살에
우직한 살갗을 갈다 보면
언젠가 미려한 보석이 되겠다

설악산 계곡의 바위는
씻어지지 않는 마음을 씻으려
오늘도 차가운 계곡 물살에
몸을 깊이 담그고 누워있다

낙엽의 숙원

늦가을 한밤중
찬비 내리더니

하늘 푸르름이 정겨워
꽃 미모로 애교를 떨더니

한순간 모든 염원을
젖은 아스팔트길 위에
싸늘히 눕히더니

기어코 너의 숙원
꽃이불이 되어
차가운 바닥을 덮는구나

4부. 겨울의 순수

옷가지를 갈무리하다

이미 아카시아 꽃들이 빛바랜지 오래 되었다
이팝나무 가로수 잎사귀는 온몸을 뒤집어가며
열기로 사라지는 꽃향기의 상실에 분노했지만
이제는 비를 맞고 육신이 지친지 한참 지났다

나도 새로 입을 옷과 폐기할 옷을 정리해야 한다
특별히 몸때 묻은 옷들은 지난 추억과 미련으로
몇 번이나 들었다 놓았다 선별을 숙고하지만
쉽게 폐기할 용기가 나지 않는다

지난날 나와 함께한 그 옷가지들은
잠시나마 허황된 것이라도 나로 꿈꾸게 하고
허접한 외모를 가려주었기로 고마웠다
그러기에 폐기를 결정하는 마지막 순간까지
적어도 망설이고 주저하였다는 것을
그것들은 기억해 줄 것이다

얼마 후 찬바람은 다시 찾아올 터이다
그때도 나는 또다시 취사선택을 망설이고
새 옷에 낯설어하는 황홀한 순간을
다시 맞게 될지 모른다

따뜻한 겨울

날씨가 정말 겨울답지 않다.
무슨 설명할 수 있는 원인이 있겠지만
내 생애에 처음 겪는 일이다
얕은 땅속 미약한 씨앗들과
황량한 들판에 헐벗은 숙근초와
웅크린채 떨고 있는 벌레들을 위하여
참 다행스런 일이다
어디 그뿐이랴
이 땅 위에 질긴 잡초가 되어
천형의 삶을 이어가는 참담함과
하늘을 지붕 삼는 고단함과
위로받지 않는 외로움과
민족을 위한 애통함을 위하여
날씨가 따뜻해서 참 좋다
올봄은 일찍 오려나 보다

크리스마스 전야의 그리움

어느새 크리스마스가 찾아왔습니다
화려한 불빛 경쾌한 캐롤이 울리는 거리에
정답게 서로 기대어 걷는 연인들은 행복해 보입니다
오늘 평화가 주어졌으니 나도 그 속에 깃들고 싶습니다

차가운 시베리아 벌판 같은 고난스런 나의 삶 속에
자작나무 사이에 비치는 정오의 햇살이 되어준 당신
올겨울 눈보라마저 당신으로 인해 봄날의 미풍이 됩니다

찬바람이 더욱 거세어 그 따스함이 덜할지라도
언젠가 가슴으로 다가올 숙명의 평안을 기다립니다
가슴에 깃든 사랑이 샴푸 거품처럼 부풀고
군고구마처럼 따스한 크리스마스이브입니다

새해를 맞는다는 것

정해진 규칙에 따라 경자 신년이 왔다
인생 영욕의 세월에 한 해를 더한다

나이가 늘어날수록
피부는 세포 속에서부터 졸아들고
두 눈두덩은 안으로 깊어진다
연이어진 철길의 침목이 되어
미래로 뻗어나가야 하는 사고체계는
듬성듬성 이 빠진 채로 편협해지고
세대와의 소통은 과거로만 향한다
기식은 해마다 안으로 숙어지고
선악의 구분도 불분명해진다
언젠가 생과 사의 경계도 허물어지고
육신은 마지막 여정에 이르겠지만
영혼만은 가슴안에서 깊어진다는 것
내 심장에 밝혀진 등불 하나
조금씩 그 빛을 향하여 다가간다 것

겨울비로 오신 이

심야 청명한 하늘을 깨고
적막강산 눈밭 위로
사뿐히 내려앉는 당신은
슬픔이 살이 저미는 듯 시린 사연을
불모의 바닥에 깊이 묻으려 숨 가삐 달려온
백설 산정에서 부는 눈바람이었지
지친 가슴으로 파고들거나
때론 골수 깊은 곳에 진균이
야금야금 나뭇등걸을 삭히듯
영혼에 상처를 입힐지라도
진한 물기로 젖어 드는 생기는
이름하여 겨울비
대지에 박힌 불치의 외로움을
마침내 근원부터 곰삭일 거야
이윽고 미풍이 불면 불모의 땅에
솜털 숙사줄기 노란 꽃다지를 피워 낼거야
겨울에 비로 오신 그대는

어느 가요 속에서

그리움이 하얀 시간에 잠식된
멀리 정북에서 별 반짝이는 작은 마을
그 사람 하얀 의식이 백설처럼
가슴속에 소복소복 쌓이고 있었다

싸늘한 밤바람 휭하니 옷자락을 휘감고
차가움이 차오른 유리 창문
가만히 작은 어깨 기대고 서서
눈동자 감춘 속눈썹에 맺힌
반짝반짝 수정알을 말리고 있었다

가슴에 켜켜이 쌓인 애달픈 그리움
아스라이 추억이 되어 미끄러지는
하얀 목련꽃처럼 목덜미 여린 숙녀
그 사람 햇빛 속에서 스러져
쨍...하니 비산하고 있었다

겨울 해변을 걷다

해변에 눈발이 날린다
시야는 점점 뿌옇게 흐려지고
얼굴 위로 눈 녹은 물이 흘러 내린다
그리움 일지도 모를 눈물

눈발로 주름진 백사장을 걷는다
다른 이들이 이미 남긴
무수한 자국들 위에 더한
무심한 내 발자국

패각이 검게 붙은 갯바위
바위 벼랑을 오른다
내려다보니 파도가 부서지는
거친 바위 바닥

여기까지다
이제는 더 나아 갈 곳이 없다

겨울 바다의 끝에서

바닷가에 가고 싶다
갈 곳을 모르거나
갈 곳이 없거나
이런저런 잡다한 일로
마음이 빈 광주리가 될 때
바다는 언제나 말없이
오랜 친구처럼 반겨 주기에...

막상 바닷가에 다가가면
부질없는 상념으로
시야는 흐려지고
더 나갈 수 없어서
먼 곳 수평선의 끝
그 너머를 넘겨다보곤 한다

바닷가에서는 파도가
나의 신발코를 항상 막아선다
더 가야 하는데
더 가야 할 것 같은데...

바다는 내게 항상 같은 말을 한다
살가운 고운 모래
멋진 갈매기가 있으니
여기 그냥 머물라고
그만 쉬라고...

구계등 몽돌밭

마음도 닫히고
몸뚱이 마저 굳어진 네가
거친 파도가 세차게 때릴 때마다
신비한 노래를 부른다
아니면 신음이런가

수만년 그리 몸을 굴렸을 터인데
아직 모난 곳이 남아있었더냐
네가 스스로를 모질게 쳐서 수양하고
정신을 바로 세워 왔건만
부족함이 조금이라도 남아있었더냐

언제쯤이나 되어야 누군가에게서
"그 쯤 이면 그만 되었다"고
네가 연단에서 놓임을 받아
휴식을 향유 할 수 있는 것이냐

언제쯤이면 외로운 섬 바닷가 한구석에
심장 없는 가슴으로 살면서
끝없이 신음을 내는 것이
정해진 숙명 속에서도 늘 미미한 일상이라며
당연한 일과로 치부하는 날이 오는거니

5부. 사람의 삶

갑과 을에 관한 단상

요즘 회자 되는 신조어는 갑을이다
사람은 누구나 누군가의 갑이 되고 동시에 을이 된다
갑과 을의 위치는 끊임없이 변화되는 연결 고리가 되고
자연에 존재하는 먹이 그물의 모양을 이룬다
마치 0과1의 이진법이 매트릭스를 구성하듯
갑,을의 그물이 온 세상을 지배하고 있다

이런 이진법적 이분법은 수많은 상황을 만들고
세상의 갈등과 원망과 저주와 분쟁을 낳는다
어떤 이는 평등사회를 만들겠다는 사상으로 무장하고
혁명가라는 미명 아래 수많은 이를 죽음으로 내몰았다

인류사에서 갑과 을의 존재가 숙명적인 것이라면
처음 인간이 생산한 첫 인간도 그러했듯이
어찌 사람의 관계에서 완전한 평등이 존재하랴
인간이 힘쓸 일은 갑을 관계의 말살이 아니라
오직 갑과 을의 상생을 모색하는 일이며
아무리 애를 써도 인간 속에서 시퍼렇게 살아나는
소위 갑질을 유도하는 악의 근원을 찾아
각자 스스로 제거하려는 끝없는 노력과 시도
자기 성찰뿐 이다

寄生蟲 年代記

사람은 누군가에 기생하며 살아간다
나 혼자 자랄 수 없어서
정 많은 부모에 기생하여 자라고
나 혼자 슬기롭지 못해서
미더운 스승에게 가르침을 받고
나 혼자 살 수 없어서
동반자에 기대어 기생충처럼 산다

기생충은 사람을 숙주로 살긴 하지만
숙주를 금방 심하게 해치지 않는다
적당히 타협하며 생존을 이어 가듯
사람도 사는 동안 세상과 적당히 타협하고
거짓과 위선의 간교한 핑계를 대며
나약하고 비겁한 기생충처럼 살아간다

그러나 한가지는 잊지 말아야 할 것은
기생충이 숙주에 기생하는 동안
숙주가 가진 다른 질병을 조금은 치료한다는 것이다
그러니까 타인과 나 서로간에 기생하며 살다가
서로 상처를 주기도 하겠지만 치료도 받았을지 모른다
그러므로 우리는 모두가 공진화하면서 살아가는
서로서로의 숙주이며 기생충인지 모른다

미생물의 가르침

있는지 없는지도 보이지 않고
죽은 것인지 산 것인지 구분도 어려운
정말 보잘것없는 미생물 바이러스가
감히 만물의 영장 인간을 숙주로 삼고
전 세계 전 인류를 점령하고 있다
모든 현상에는 원인과 결과가 있는 법
잘난 인간의 입이 모조리 봉쇄당했다
추한 말을 너무 많이 한 것일까?
이기적인 자족과 안락만을 추구한 것일까?
한계를 넘는 생명 조작을 한 것은 아닌가?
경험과 이성을 지상주의로 삼고
학문적 체계와 과학에 자만하고
악취나는 철학으로 추잡한 인명재인을 선전하고
경천애인을 뒤엎어 불신과 무신에 자긍하고
오만을 지향한 모든 일이 문제 된 것은 아닐까?
모를 일이다 다만 내가 아는 것은
가장 가치 없는 미미한 것들이
가장 잘났다고 거들먹거리는 것들에게
무언가에 의하여 무언가의 이유로
냉혹히 가르칠 때는
숨죽여 겸허하게 배워야 한다는 것이다

COVID-19 자술서

잘난 인간들아 !
나 우한 코로나 바이러스-19가 너희에게 묻는다
으스대는 너희 눈에는 내가 우습게 보이겠지만
내가 어디서 왔는지를 알면 놀라 기절할 거다
너희는 나를 빨리 죽여 달라고 여러 신께 기원하지만
너희가 신앙하는 그분의 허락으로 내가 왔다면
기원을 그렇게 해도 되는 거니?
나는 투명 망토를 하사받아 아무도 모르게
너희가 끼리끼리 모여서 희희낙락하며 놀 때
난 너희 숨결을 따라 자유로이 돌아다니며
너희를 숙주로 삼고 너희를 몸을 우아하게 점령할 수 있었지
너희는 내가 반쯤 죽은 뇌도 없는 원시 미생물 이라고 말했지?
또 뇌가 없으니 단순 무식 하다는 둥 곧잘 나를 폄훼하지
내가 잘난 너희 몸속에서 어떻게 너희를 점령하는지 생각해 봐라
난 너희의 세포를 속이고 안으로 들어갈 정도로 지능이 높아
너희는 내게 코로나라는 멋진 이름을 붙여 주었지
코로나라...태양의 후광 이라니...그건 참 멋진 이름이구나
난 너희의 점령사령관 이니 당연히 받을 영광스런 명명이구나
사실 그건 너희로 실수하게 한 신의 한 수였지
그것은 너희 육신 깊숙이 침입할 수 있는 트로이 목마였으니까
나는 전 세대에 걸쳐 비슷한 형제 전사를 참 많이 가지고 있지
아프리카 에볼라, 중국H7형씨리즈, 중국발사스와 중동발메르스 ...

이 형제들은 전 세계 방방곡곡에 숨어 있다가 혁혁한 공을 세우지
동맹군중에는 천연두 또 유럽인만도 3분의1를 전멸시킨 페스트도 있지
너희는 그들이 죽었다고 하는데 천만의 말씀 만만의 콩떡!
친애하는 나의 페스트 동맹군은 지금도 절대 죽지 않았다
그들이 중국과 몽골에서 또 다시 부활한걸 너희는 모를 거다
계속해서 나의 변이 형제들이 줄줄이 활동할 계획이다.
앞으로 죽 기대하시라

너희는 스스로 너희 입을 봉쇄하는 잔꾀를 부리더구나
그런다고 앞으로 올 연합군의 공세를 과연 막아낼 수 있을까?
내가 살지 못하는 넓은벌판이나 햇빛 속에서도 겁쟁이가 되더구나
너희는 골방에서 잔뜩 움츠리고 숨어 스스로 죄수가 되더구나
너희는 뺏은 피 같은 세금을 내 핑계를 대며 마구 뿌리더구나
너희는 나를 핑계로 영악하게 치부하고 악하게 명예를 훔치더구나
너희는 모든 분야에서 나를 이용하여 권력을 도둑질하더구나
너희는 나를 핑계로 영악하고 사악하게 정치권력을 휘두르더구나
내가 누구에게서 왔고 왜 왔는지 그래도 모르더구나
내가 어찌하면 물러 갈런지 여전히 고맙게도 모르더구나
너희는 아직도 뭐가 뭔지 전혀 상황판단을 못 하더구나
그래서 아직도 난 너희 몸속에서 약진을 계속할 수 있는 거야
그래서 난 너희가 참 좋단다

의식의 전환

청소년 시절 난 특별한 사람이라고 생각하여
높은 곳에서 뛰어내리는 만용을 부리다 크게 다쳤다
청년 시절 나는 스마트하다고 생각하여
어떤 시험에도 자신했으나 중요 시험에 낙방했다
장년이 되었을 때 직장인으로 사는 동안
한점 불공정한 일이 없다고 생각했으나
초로가 된 지금 매 순간 나의 의식은
그때 미숙했던 행동을 후회할 뿐이다
자의든 타의든 타인을 아프게 했던 부끄러움이
나의 의식을 잔뜩 흐린 구름처럼 뒤덮고 있다

지난 난 나의 오점들이 나의 의식에서 나온 것이기에
내가 나를 믿을 수 없으니 나를 내려놓아야 한다
남은 마지막 여정에서는 내 의식을 확 바꾸어
내 생각과 내 결정에 거역하며 살아야 할까 보다
사랑의 빛나는 이의 뜻으로 사는 것도 좋을 듯하다

떠난다는 것

모든 큰일을 도모하는 사림들은
아끼는 무엇인가에서 떠나곤 했다
필부필녀의 평범한 삶 속에서도
자의든 아니든 가진 것에서 떠나야 할 때가 있다
최소한 사별이라는 이유로도 그렇다

그동안 나의 삶을 돌아 보건데
보내고 떠나는 일로 가슴 아프지 않았던가
정녕 떠나는 이는 보내는 이의 심정을 모르고
보내는 이는 떠나는 이의 심중을 알 수 없기에
마음도 그만큼의 상처를 입었을 터이다

내가 지금 이 자리에 있으니 미래도 역시
사랑하는 이를 떠나고 보내야 할지 모른다
부디 바라 건데
별리가 인간의 어쩔 수 없는 숙명이라면
떠나고 보내야 할 마음이 조금 덜 아팠으면 좋겠다
마음의 빈 병 속에 사랑이라는 향수를 모아 두었다가
마음이 아플 때 가득 피어나는 떠난 이의 향기로
위로받을 수 있도록 사랑하며 살아갈 일이다

빛나는 별

탄생한 별들은 생물처럼 반드시 소멸한다고 하니
저기 빛나는 별들 가운데 어떤 별은 이미 사라져
허상이 지금 내 망막에 비친 것입니다

태초에 우리 지구 별도 다른 우주의 별들과 똑같이
단세포 생명체도 전혀 없는 그야말로 텅 빈 공간 속에서
수십억년 동안 정녕코 홀로 찬란하게 빛나고 있었고
그때 우리별은 허상이라는 말조차 무색한 실체였습니다

긴 세월 동안 우리별을 지배하던 공룡이 멸종했듯이
인류가 잠깐 머물다 갈 우리별도 종말을 맞을 터이니
가장 가깝다는 250만 광년의 안드로메다계 어느 별에서
누군가 우리별을 본다면 그것도 아마 허상이겠지요

광대한 우주 속에서 모든 존재하는 것들은 허상이지만
분명한 사실은 '실체는 허상으로 존재 한다'는 것입니다
그것이 무슨 의미를 지니고 있는지 난 모르지만
허상의 실체 속에서 살아야 한다는 것도 숙명임을 알기에
난 오늘도 허망한 사랑으로 실체의 기쁨을 찾아보려 합니다

강물과 대지와 인간

강물은 대지로 하여금
자신을 닮아가게 하고
살아 있는 것들은
대지를 닮아 간다

진정 살아있는 것들 가운데
강물과 대지를 거스르는 것은
미욱한 인간뿐이리라

인간은 강과 대지에게
자신의 모습을 닮도록 강요하지만
외려 닮아가는 것은 인간 자신이다
시나브로 물과 흙을 닮아가다가
결국 아주 물과 흙이 되어 버리는 것
인간은 그 숙명을 너무 자주 잊고 산다

첫 것의 의미

첫 것에 대한 경험은 항상 의미가 있나 봅니다
사람들은 한결같이 첫 경험에 특별한 의미를 부여합니다
좋은 것이든 싫은 것이든 첫 것의 속에는
기대와 두려움이 뒤엉켜진 상태로
다가올 것들을 잉태하고 있기에
사람들로 긴장하게 만들고 정신을 고양 시켜줍니다
가족의 첫 아이
농부의 첫 열매
학생의 첫 입학
회사원의 첫 출근...
여러 가지 경험 중에 첫사랑은 더욱 설레고
세월이 지나도 또렷이 추억 속에 남아있습니다
그러나 내겐 이미 오래전에 숙져 버리고
비에 젖은 낙엽처럼 초라한 것이 되었지만
사랑이란 그리움으로 인해 언제나 첫사랑입니다
앞으로 나눌 것들에 대한 기대로 가슴이 부풀고
한껏 꽃다발을 안은 듯 첫사랑 첫 포옹은
아름답게 반짝이는 사파이어 보석입니다

건널목 신호등

운전할 때마다 신호등 앞에서 정차했을 때는
항상 신호등이 빨리 운행으로 바뀌기를 바란다
주행 도중 신호가 바뀌어 계속 직진 할 수 있으면
오늘은 운이 참좋은 날이라고 생각한다
더욱이 계속하여 미리 주행 신호등으로 바뀐다면
그때는 숙명적으로 하늘이 나를 돕는 듯 느낄 때도 있다

그러나 내가 건널목을 정차 없이 신나게 내 달릴 때마다
길가에 서 있는 사람들의 표정은 한없이 지루해 보이고
달리는 차량에 보내는 짜증의 눈빛이 생생하다

인생사도 그렇다

바다거북 1

바닷가 모래 속에 연약한 알로 나를 낳고
지친 나의 어미 거북은 나를 버려 두고 떠났다
몇 일 후에 나는 알을 막 깨고
아주 작은 거북이가 되어 기어 나왔다
아무에게서도 배우거나 지시받은 일이 없는데도
정언적명령을 받은 듯 한 번도 사용해본 적이 없는
미력한 근력과 시력을 사용하여
온 힘을 다해 쏟아져 내리는 모래를 밀치고 밖으로 기어 나왔다
그리고 나는 내 몸에 붙은 작은 손발을 파닥거리며
한 치의 주저함도 없이 숙명적 목표를 향해 질주를 감행하였다
달리는 도중에 내 주위에는 예전에 한번도 본적 없는
우스꽝스런 모습의 나 같은 것들이
나를 앞서 사력을 다해 기어가는 것이 보였다
아마도 몇 초인지 몇 분인지 먼저 출발한 운 좋은 동족인 듯 보였다 하긴 내 뒤에 처져서 기어가는 동료들이 많이 보이니
나도 운 좋은 거북이라고 생각하였다
마침내 기운이 빠져 쉬고 싶었지만 쉴 수 없었다
앞서가던 동료가 끼륵끼륵 공포스런 괴성을 자르며
하늘을 날아다니는 거대한 흰 괴물의 부리 안으로 들어가는
장면을 목격하였기 때문이었다
태어났으니 천수를 누리기까지 오래오래
영화를 누리며 살려면 무언가 목표를 향해 계속 달려야 한다
또 다른 동료가 커다란 집게 괴물에게 끌려가는 것을 보았다
여기서 멈추면 죽는다는 강박 속에 나는 또 달리고 달렸다

이제 목적지가 멀지 않은 듯 푸른 바다가 보이고
싱그런 냄새가 코를 간질거렸다
새삼 기운이 솟고 기분이 좋아져 승리의 찬가를 흥얼거렸다
세상을 정복한 영웅이 된 듯 의기양양하는 순간
무엇인가 나의 가슴통을 짓눌렀다
그리고 고통 속에 나는 외마디 비명을 지르며
살려 달라고 애원했다
몇 분간의 험난 했던 나의 생은
거대한 네발짐승의 내장 속에서 분해되고 있었다
그 순간 나의 뇌리 속에서는
짧은 지난 생의 영상이 파노라마처럼 펼쳐지고 있었다
그리고 나는 이렇게 자문하고 있었다
"왜 내가?"

바다거북 2

난 앞서가는 나의 형제를 뒤따르며
그의 저력과 정열이 참 부러웠다
그러던 그가 거대한 짐승에게 먹히는
끔찍한 광경을 정면에서 목격하였다
공포에 온몸이 얼어붙어 한동안 움직일 수도 없었다
“왜 저 형이?”
나의 머릿속에서는 의문이 파도처럼 밀려왔다
계속 달려야 살 수 있다는 결론을 내리고 질주를 계속했다
문뜩 나의 길이 희생당한 동료들과 동일하다는것을 알아차렸다
“이러다 나도 저 무서운 괴물의 먹이가 되는 것이 아닐까?
앞서간 수많은 동족들처럼 이 길로 달려가야 할까?
아니면 다른 길로 가야 하나?”
난 여러 의문과 생각으로 초조해졌다
그래서 방향 전환을 해보기로 했다
나는 손발을 버둥거리며 다른 길로 가려고 해 보았지만
나의 몸은 여전히 바다로 가고 있었다
아무리 다른 길로 방향 전환을 해보려 해도 소용이 없었다
“왜 나는 바다로만 가야되는 숙명을 가진 거야?”
나 자신 끊임없이 질문을 하면서 험난한 모래밭을 달리고 있었다
그러다가 어느새 눈 앞에 펼쳐진 푸른 바닷물 속에 몸을 던졌다
난 안도의 한숨을 쉬었다.
그리고 온몸으로 성취감을 만끽하고 생존의 환희를 느꼈으나
한 가지 의문이 계속 머릿속을 맴돌았다
“왜 나는 살아남은 거야?”

바다거북 3

내가 세상을 처음 자각한 것은
어둠 속에 갇혀있다는 것을 깨달았을 때이다
이 암흑의 장막에서 탈출하기 위해 난 모든 방법을 동원했다
벽을 팔다리로 밀며 임시로 돋아난 이빨로 물어 뜯기도 했다
껍질이라는 흰 막이 깨지는 순간
주먹 만한 모래라는 돌덩어리가 쏟아져 밀려 들어왔다
온몸은 돌덩어리에 맞고 쓸리어 멍이 들었고
임시 이빨은 부러지고 뽑히어 피가 났다
모두 탈진 상태가 되어 움직일 수가 없었으나
내 안의 무언가가 전진을 재촉했다
다시 밖으로 나와 정신없이 달리다 보니
앞서가던 형제 한 두 명이 사라지고 없었다
자세히 보니 무서운 괴물의 입으로 들어가 사라지고 있었다
갑자기 흉칙한 집게 달린 괴물 하나가
나의 뒷발을 꽉 잡고 뒤로 잡아당기기 시작했다
하지만 난 사력을 다해 괴물을 뒷발로 박차며
집게 괴물에게서 빠져나와 전진했다
많은 희생을 당한 후에 잠시 안전한 탈출로가 확보되었다
손발에 경련이 나도록 달렸고 가쁜 숨에 심장이 터질 것 같았다
얼마 후에 갑자기 눈앞에 하얀 물거품이 온몸을 감싸고 있었다
그 속에 뛰어든 나의 몸은 둥실 떠올랐다
그동안의 피로가 싹 가시는 걸 느꼈다
안도의 한숨이 절로 새어 나왔다.
드디어 목적지에 온 것이었다

"난 살았다!"
조물주는 내 의지와 관계없이 일방적으로 나를 만들었고
부모는 캄캄한 알과 모래 속에 나를 낳아놓고 멀리 떠나 버렸다
그들은 나를 돌봐 주지 않았으며 나의 생존과 죽음에 무심했다
나 홀로 알을 깨고 나왔고 죽음의 장애물을 피해 바다로 달렸다
그 결과 나는 스스로 내 생명을 지켜냈다
앞으로 사는 동안 더 위험한 죽음의 덫이 기다린다 해도
난 모든 고난의 경험을 통해 생존기술을 숙지하게 되었으니
앞으로 어떤 고난도 극복해 나갈 수 있으리라는 자신이 생겼다
이왕에 이 세상에 태어났으니 나는 나의 생을 나의 손으로
위대하게 만들겠다고 어금니를 굳게 깨물어 다짐했다

어느 거북이의 사막 여정

그는 뜨거운 사막을 정처 없이 기어가고 있다
그의 맨발 바닥이 모래를 디딜 때마다
남아있던 힘은 푹푹 꺼지는 모래 속으로 사라지고
무겁고 둔탁한 육신의 무게는 더 해갔다

그에게 어디로 가느냐고 물었다
가야 할 미지의 세계가 있다고 했다
왜 가느냐고 물었다
가야 할 숙명이라 간다고 했다
그리 느린 걸음으로 언제 도착하느냐고 물었다
가다 보면 언젠가 도착할 것이라 말했다
가는 동안 모래 바닥은 불타듯 뜨거워도
발을 들어 옮기는 순간만이라도
발을 든 두 발은 시원해서 좋고
모래폭풍이 거세게 불어올 때는
두 눈을 꼭 감고 등 돌리면 시원하고
별이 빛나는 사막의 서늘한 밤이 오면
별빛 스민 이슬로 해갈할 수 있어서
언제나 행복하다고 말했다

내 마음의 풍선

풍선은 사랑을 닮았다
한 볼 가득 입 맞추어 공기를 채워주면
정겨운 빛깔로 피부는 탐스럽게 부풀고
동심은 행복한 기대감에 마냥 즐겁다

어린이는 어른의 아버지
그러니 성인도 이와 다를 수 없건만
세월 따라 세상 풍진을 겪다 보니
풍선의 의미는 잃어버리고 영악해졌다

성인이 되니 풍선이 터질까
대책을 숙고하고 노심초사하며
항상 폭음의 공포 속에 자신을 가둔다면
그건 인생을 낭비하는 명분 없는 일이다
풍선은 사랑이지 폭탄이 아니다

옻나무

오래전부터 칠전에서 자랐기에
다가서기 까다로운 너는
정을 주며 정성스레 다듬는 손길에게
햇살보다 빛나는 아름다움을 선사하지

자개함 화장대 앞에서
너의 미려함은 더욱이
한 여인을 선녀처럼 변하게 하지

온갖 고난을 극복하고 성숙한
너의 아름다운 본질은
쉬이 변색하는 내 가슴 속에 살아
영원히 변치 않는 보석함으로 남을 거야

열정과 청춘

요즘을 100세 시대라고 부르곤 한다
단 하나의 세포에서 시작된 인간은
단 하나의 세포까지 생기를 잃을 때
이 세상 오기 전 그곳으로 연기처럼 가겠지만
인간의 줄기세포는 열정적으로 사는 자에게
스스로 매일 2억개의 신세포를 생성한단다
그러니 열정적으로 뇌와 사지를 움직이며 산다면
노년을 청춘으로 살 수 있지 않을까
나이 60을 이순(耳順) 70을 종심(從心)이라 하듯
용서와 이해로 살면 열정은 자연히 생기는 법
아집과 자포자기와 공경받기만을 바라는 구태는
열정도 아니고 청춘도 아니다
내가 하고픈 일에 몰입하는 자세는 아름답지 않은가
열정을 유지하려는 의지와 시도는 얼마나 푸르른가
인간은 연령과 상관없이 열정이 있다면
그 삶은 아직 청춘이다

존재와 비존재

저 하늘 우주에는
상하도 없고 깊이와 넓이도 없고
동서남북도 없으며 선악도 따로 없다
있다면 없는 것이 존재한다는 것

우주의 아주 작은 한 부분인 이 지구도
당연히 우주와 같이 없는 것은 없어야 하는데
참 생소한 일이 분명하다
없는 나는 있고 있음과 없음의 있음이 있다
그건 내가 이 지구 속 현실이라는 이름의
비순수 속에 살아가기 때문에 생긴 일
그러기에 지금 난 가슴이 아프고
지금 난 쉬기도 하다가 움직여야 하고
선악에 묶여 판단하고 판단 받으며 산다

지구 성층권속 생명체가 존재하는 곳에서는
우주의 비존재 법칙은 무용지물이다
그곳은 현실이라는 비순수를 소유하고
인간을 조정하는 막강한 힘이 행사되고 있다
지구는 우주와 다른 '성층권특별자치구'이다
분명 생명체가 득실거리는 이 지구 현실은
전우주 보다 특별하고 인간의 삶도 닮아있다

커피 한 잔

악마도 사랑한 실체
따가운 햇살에 그을리고
가마솥 불길로 살을 태우고도
결국 짓이겨져 가루가 된 육신

자만에 가득찬 인간마저
경배한 검은 희생
너의 지난 고통을 외면하랴
정녕 네가 내게
위안이 되었든
아니 독이 되었다 하더라도
기꺼이 독배를 든다

내가 너를 앞에 두고
세상을 원망하겠느냐
하물며 숙명이야 어찌하리
감사하며 한 모금
너의 고통과 인내를
함께 삼킨 고미에
지긋이 눈감는다

그리움의 속성

그리움은
단단하긴 하지만 시간에 부식되는
쇠붙이와 같지 않고
그리움은
치매가 주인의 기억을 지워갈 때에도
지워지지 않고 오롯이 살아남는다

그리움은
세월이 가도 변치는 않지만
더 자라지 않는 황금과도 다르다
그리움은 오히려
깊은 동굴 같은 고독 속에서
세월 따라 새록새록 자라는 石筍처럼
간절함이 더 해 가는것

그렇지 않다면 그건
진정한 그리움이 아니라
미련일지 모른다

지니

어떤 영화 속에서 한 주인공이 말했다
인간은 끝없는 우주 속에 공허하게 남겨진
아무 의미 없는 먼지와 같다고...

때로 우리의 삶이
적막한 우주 속에 홀로 남겨져 있을 때
의미 없는 먼지가 되어 한없이 공간을 비산할 때
한 푼의 생계비를 위해 부속품이 되었다고 느낄 때

이런 생각을 해볼 일이다
나는 빨주노초 예쁘게 빛나는
별 중에 하나란 것을

그래서
누군가 나를 가리키며 행복해하고
나를 바라보고 아름다운 노래를 부르고
나를 향해 소원을 빌고 있다는 것을

그리하여
내가 누군가에게 희망이 되고
소원을 들어주어야 하는
알라딘의 요술램프 속에 '지니'라는 것을
그러니까
나는 계속해서 우주속에 먼지로 남아야 한다는 것을

인생 궁극의 가치

정확히 알 수 없는 운명 속 인간의 삶은
미덥지 못한 내 의지와 무관하게
숙면도 할 수 없는 환난이 엄습할 때가 있다
그날이 오면
온 정신이 가위눌린 듯 숨쉬기조차 두려워
나만 홀로 저주받았다는 참담한 의심이 들고
어떤 위로도 귀찮고 하찮아져서
차라리 모든 걸 포기하고 싶을 때가 있다

그때마다 극단의 선택으로 도피를 택한다면
이 세상에 몇 사람이나 살아남을 수 있을까
어떤 이는 극한의 비현실적 고난 속에서도
기꺼이 겸허한 웃음으로 현실을 수용하고
인내하며 살아가고 있다는 것도 기억할 일이다

원치 않는 환난을 당하는 중이라면
하늘이 부를 때까지 살아남는 것으로
주어진 생의 의무를 다하는 것이며
그것으로 삶의 의미가 충분하지 않을까
이를 악물고 살아남자 그리고 살아가자
그것이 인생 궁극의 최대 가치가 아니겠는가

어느 이별에게

지석공원 솔향기가
그대를 부르던 가요
마지막 이별의 한마디
들어줄 사람은 있었던가요
한평생 의지할 곳도 마음 줄 곳도 없던
늘 외로웠을 사람이여

이승에선 당신도 누군가에게
웃음이 되고 방파제가 되었던
아름다운 시절이 있었을 터인데
가신 날은 온통 절망뿐 이었군요

어둔 공원 한구석 솔나무 등걸타고
먼 길 서천 하늘을 향해
긴긴 여름밤 검은 바람 따라
그림자 없는 하얀 발자국을 남기며
쓸쓸히 눈물짓고 홀로 가신이여

'살았어야 했다'는 말은 감히 할 수 없습니다
다만 그대 외로웠을 슬픔이
가슴에 사무치게 전해와
저승에선 외롭지 말라는
혼잣말을 자꾸 되뇌어 봅니다

사진 속 그 자리

머리카락 아직 검게 짙고
떨어지는 곧은 물줄기를 닮은 듯
허리를 당당히 곧게 세운 채
천지연 폭포 앞에 앉아있는 두 사람

손가락 마디 굵은 두 손을
단정히 무릎에 얹고서
무심히 정면을 응시하며 앉아있었다

어느 때 누군가는
고통을 숙명처럼 짊어지고 사는 법
나도 거기 그 자리에 앉아서
미동도 하지 않고 앞을 바라본다면
그러면
지난 수많은 세월 속에 묻어둔
인생의 버겁던 무게를
감춰진 회한의 눈물을
자세히 알아볼 수 있지 않을까

만일 내가 그 자리에 앉을 수 있는지
허락을 청한다면
난 그 자리를 허락받을 수 있을까
난 그때 그 자리에 앉지 못했다

달력

나의 定數軍을 이끄는 총사령관은 우직하여 후퇴를 모른다
오늘도 나의 군대는 동토의 땅 미지의 험한 산맥을 넘는다
지금껏 낙원을 향한 기약 없는 긴 진군의 대가로
매번 뜻밖의 복병을 만나 30여 명의 척후병을 희생시켰다

어쩌다 사냥으로 배부른 날에는 그 자리서 영원히 쉬고 싶었다
이제 나의 강건한 정예병은 얼마 남지 않았다
이렇게 계속 진군을 한다면 조만간 전멸하고 말 것이다
이제라도 기회를 잡아 전설적 軍師를 기용해야 한다
그리하여 전투로 인한 생사의 의미와 명예를 찾아야 한다

천신만고 전설의 천칭과 반월검을 가진 한 사내를 발견했으나
긴 앞머리와 구부정한 외모로 나는 그를 무시하고 지나쳤다
순간 무언가 미심쩍은 직관으로 뒤돌아 그를 보았을 때
그의 탈모된 뒤통수와 4개의 뒷날개는 멀리 사라지고 있었다

이번 여정에도 충직한 병사 365명을
정해진 숙명에 따라 희생시켜야 한다
오늘도 또한 흰소를 탄 적장에게
또 1명의 전사를 제물로 바치고 산을 넘는다

점안수를 넣다

언제나 나의 눈동자가 세상을 보았는데
이제는 세상이 내 눈동자를 들여다본다
그 날카로운 시선에 나의 동공은 상처를 입고
눈보라에 서걱거리는 억새처럼 밤새 울다가
자꾸만 작은 다육식물처럼 바닥으로 가라앉는다

켜켜이 쌓인 지층 같은 고통의 되새김으로
눈물은 장맛비 진흙땅 강물이 되어
서릿발 시린 들판을 종횡으로 마구 흐르고
쌓인 찌꺼기는 캄캄한 바위로 굳어 간다

누구나 짊어질 고통이 숙명처럼 존재한다 하더라도
그러나 지금 진액도 흘릴 눈물도 다 말랐으니
이만큼 겪은 아픔이라면 내 몫은 다한 것이 아닐까
더 이상 애끓는 이별과 자책은 이제는 그만

세상이 아무리 시린 눈총으로 쏘아 보더라도
내 앞에 가야 할 여정이 아직 남아있기에
눈물로 희미해진 내 눈동자에 점안수를 넣는다
또박또박 걸어야 할 내 앞길이 절 보이도록

벌초

쓰르라미 울다 지친 산골짝 황톳길
만장이 영혼처럼 휘날리는 꽃상여 타고
훠이훠이 레테의 강을 건너신 당신

그날 단 한마디 말도 할 수 없어서
눈빛으로 오열하던 님이여
다른 삶이 어언 반세기를 지났어도
지금도 역시 아무 말씀이 없으십니다

산속 홀로 남은 당신의 유택을
정갈히 다듬어도 여전히 침묵하시니
오늘도 그냥 발길을 돌립니다

지척거리며 돌아가는 나의 등 뒤로
미세하게 들리는 한마디 당신의 음성
기실 당신은 수많은 말을 건넸지만
이제야 들리는 귀를 가지게 되었나 봅니다

현충일에

자유의 이름으로
단 하나밖에 없는 목숨을
단 한 번밖에 없는 인생을
망설임 없이 나라에 바친 숭고한 희생이여!

전사 통지 받아들고 피눈물 흘릴 노부모
길가에 미물처럼 두고 온 피붙이
내가 죽으면 누가 있어 저들을 먹이고 보살피랴
그건 탄화 속에 육신이 조각난 채
들판 어딘가에서 상처의 고통으로 신음하며
쓸쓸히 죽어 갈 고독한 죽음의 공포보다
몇 배나 더 무서운 중압감이었을 겁니다

'이상을 가진 정신은 영원한 법
내가 죽어 내 가족이 살 수 있다면
기꺼이 숙적과 싸우다 죽으리라!'

심중의 고뇌를 대의로 극복하고
겨레의 자유를 싸워 쟁취한 위대한 업적
이윽고 순국선열과 호국영령이 된 당신은
어두운 강산을 붉은 핏물로 불 밝히고
영원히 지지않는 무궁화꽃이 되셨습니다

위통과 다행

위통이 있다고 하자
위통으로 의원에 갈 수 있다면 다행이다
위염이라고 약 처방을 받을 수 있다면 다행이다
장상피화생이라고 경고만 받으면 다행이다
종양 초기라 EMR, ESD을 받을 수 있으면 다행이다
위암 1기라 위아전절제술로 많이 잘라내도 다행이다
위암 2기라 위전절제술로 모두 잘라내도 다행이다
위암 3기라 시스플라틴 등 항암 약을 쓸 수 있어도 다행이다
위암 4기라 약물과 방사선 치료를 받아 힘겨워도 다행이다
위암 5기라서 몇 달 더 생을 연명할 수 있다면 다행이다
임종을 기다리며 통증 경감처치를 받을 수 있으면 다행이다
절명 찰나라도 하늘의 위로가 있다면 정말 다행 일 것이다

그 어느 곳, 어떤 상황에서든지
다행이라는 행운을 바라는 희망은
판도라의 상자 속에 숙명처럼 숨어 있는 것
상자가 열리며 재앙이 스물스물 기어 나오는 생의 고비마다
마지막에 항상 행운을 속삭이며 나오는 것 - 희망
잠겼다면 열지 말고 열렸다면 닫지 말아야 할 상자의 비밀
절체절명의 순간에도 '다행'이란 것이 분명코 존재하기를
희망한다

광야에 가고 싶다

광야에 가서
하늘과 대지를 담대히 대면하여
나의 껍질을 스스로 벗고
내 속에 감춰진 나를 직시하리라

인간 본성의 잡스러움과
인간 이성의 난해함과
인생길 숙명의 부조리함에 대하여
작열하는 태양에 말라비틀어진 등걸에게
바람에 갈라진 바위에게나
혹은 생기 잃은 마른 대지에게도
추궁하듯 낱낱이 물어보리라
영겁의 세월 동안 입을 굳게 다물어 온 광야는
그때 무거운 입을 열고 비밀을 토하거나
나의 가슴을 향해 가차 없이 창끝을 꽂을 지라도
그의 분노를 겸허히 감수하리라
그리하여 광야 어느 한구석 구릉에서 홀로
나의 의식이 바람결에 무심히 구르는 덤불이 되어
피어오르는 아지랑이처럼 흐려져 끝내 불타오를 때
나는 무위적정(無爲寂靜)에 이르고
나의 적멸에 대하여 비로소
미소를 지을 수 있으리라

초파리의 항변

조그맣고 보잘것없는 것이
정말 귀찮게 군다
콱 눌러 뭉개버리고 싶구나

그래 한번 해봐
너는 언제나 나를 과소평가하는구나
나의 친족은 3천 여종에 완전변태 하는 완성체
너희 정자 길이는 겨우 0.05㎜ 우린 6cm가 기본
길이로 자타 공인 모든 동물 중에 으뜸이고
생식 활동에 있어 너희 인간보다 순결하다

또한 내 몸집이 너보다 작다고 해서
내 생의 시간이 너보다 조금 짧다고 해서
나를 무참히 짓이기겠다는 건 무슨 오만이냐

만약 너보다 엄청 크고
영원한 생을 가진 존재가 있어서
너를 콱 짓눌러 뭉개버린다면
짓눌려 죽어갈 때 너의 기분을 생각해 봤니

너보다 큰 존재가 어디 있느냐고 묻지 마라
가끔 우리도 그렇게 자만하여 까불다가
너희에게 당하는 나의 미욱한 형제들이
부지기수라는 걸 숙지해야 할 거다

발치(拔齒)

철없는 시절에 자란 너를
난 이제 버려야 한다
이제껏 진수의 미각과
신체의 건강을 챙겨준 어금니

살뜰한 네가 조금씩 벌레 먹어 가고
큰 제방이 작은 틈새로 인해 무너지듯
아우성과 비명을 숙지하지 못했다
이제 남은 나의 선택은
인공 치아를 그 자리에 대신 심는 일

언젠가 내 기억이거나
혹은 내 인생이 발치 되는
삭막한 황야 같은 그 날에는
무엇으로 임플란트 할 수 있을까
나는 모른다

껌씹기

껌은 향미가 나오니까 열심히 씹는 거야
단물이 다 빠지면 입아귀가 힘들어져
자연히 뱉어 버리게 되는 거지

이왕에 살아가는 모든 것들은
쉽게 삶을 포기하지는 않는 법
만일 어떤 생물이 생을 포기하려 한다면
그건 삶의 단맛이 없어서일 거야
상처 난 사자가 머리를 초원에 눕힐 때는
사는 고통이 죽는 것보다 힘들어서니까

스스로 먼저 삶의 의지를 포기하게 되면
비로소 생은 단맛 빠진 껌처럼 힘들어지고
주변을 배회하던 죽음의 신이 다가오는 거야

생물은 절대 단맛을 잃어버려서는 안되는 거야
그렇다고 허접한 단맛에만 빠지면 더욱 곤란해
결국 허접한 단맛은 오히려 독이 되어
내가 만든 숙명으로 삶은 사막이 되는거야
그러니까 인생은 삶의 향미를 꼭 찾아야 하는 거야

애플(apple)과 사과(謝過)

난 천성적으로 애플을 싫어했다
냄새도 맡을 수 없던 그것을
조금씩 먹어보며 거부감을 줄였더니
이제는 더없이 애플이 좋다

난 사과(謝過)도 싫어한다
차라리 변명으로 진실을 감추던가
아니면 잘못에 시인(是認)은 할지언정
도무지 사과는 하고 싶지 않다

누구나 자신만의 사과가 있을 것이다
그러나 애플의 향미를 싫어하던 내가
나의 입맛을 정반대로 바꾸듯
내 속에 사과에 대한 태도에 대해서도
조금씩 나 자신을 바꿀 수 있지 않을까
극기복례하는 자를 군자(君子)라 한다면
나의 숙제는 언제쯤 풀릴는지 모른다

돌담길을 걸으며

현자는 내게 말했다
산이 되고 바위가 되라고

난 산과 바위 대신
작은 돌덩이 하나 되어
길가 돌담에 콕 박혔다

돌담길 따라 스치는 사람들은
저마다 미숙한 감정을 드러내며
천태만상으로 내 옆을 걷는다

이미 단단한 돌이 된 나는
당연히 무심해야 하지만
가을이라 그런가 아프다

아버지의 의미

아무도
암팡스레 매달리던 그 많은 솔방울들을
두 팔로 떠받치고 힘겹게 버티다
조금씩 아래로 떨구던 소나무의 아픔을
알려 하지 않았습니다

그때
당신은 하루 또 하루
삶의 무게가 등줄기를 짓눌러
덕지덕지 등걸이 거칠어지며
고단한 노송으로 변해갔음을
진정 몰랐습니다

오로지
인생이라는 버거운 여정을
뚜벅뚜벅 걸어가셨던 솔숲 길
당신의 짐으로 몽땅 남겨진 솔씨의 행복은
쓰린 숙명의 길이었음을
이제야 조금 알 듯합니다

홀로
한 잔 술에 한숨을 풀어놓고
미어지는 가슴을 감추시던 아버지…
이제는 모든 것을 내려놓고 조용히

쉬고 계시는 숭고한 모습을 바라보며
아버지의 의미를 아린 감사의 마음으로
가슴에 깊이 새깁니다